Dedicatoria

A MIS NIETOS:
Con un gran amor entrañable, profundo e íntimo.
Pidiendo al Padre que sus vidas estén signadas
por su mejor amigo Jesús.
Los amo.

A TODOS LOS NIÑOS DEL MUNDO:
Pidiendo a Dios que la vida de cada uno de ustedes,
pequeños, sea marcada por el Espíritu Santo
hasta el final de sus vidas.

A LOS PADRES DE CADA NIÑO:
Para que ayuden a sus hijos a seguir el único camino
que los hará disfrutar de una eternidad.

La autora

Presentación

HABLO CON DIOS TODOS LOS DÍAS

¡Estamos muy emocionados por el recorrido que vas a comenzar! Durante las próximas 4 semanas, descubrirás lo que Dios tiene preparado para ti cada día. Disfrutarás de historias extraordinarias y de actividades que te sorprenderán.

Este libro es un devocional en donde podrás experimentar a Dios de una forma especial y personal; aprenderás las verdades de la Palabra de Dios en maneras prácticas y fáciles de recordar.

Silvia Wadskier de Díaz

Mi nombre: Ignacio Wadskich

Mi edad: Papa F

Haz un dibujo de ti mismo:

Padre bueno, gracias porque creaste los cielos,
la tierra, los mares, al hombre y a los animales.
Hoy que comienzo mi libro de oración contigo,
te pido: Escribe mi nombre en el cielo,
cuida de mí mientras esté creciendo.
Quiero decirte que tú eres mi mejor amigo
y siempre quiero escuchar tu voz.

AMÉN.

Índice

SEMANA 3

24 ¿Quién anunció la buena noticia de que el niño Jesús nacería? *Un ángel.*

25 ¿Quienes vieron la estrella de Belén? *Los Tres Reyes Magos.*

26 ¿Cuál fue la oración que nos dejó Dios para aprender? *El Padre Nuestro.*

27 ¿De quién, dice Jesús, es el Reino de los Cielos? *De los niños.*

28 ¿Qué hizo Jesús con cinco panes y dos peces? *Un gran milagro.*

29 ¿Cuál es el mandamiento más importante que Jesús nos dio? *Amar a Dios.*

30 ¿Cuál es el segundo mandamiento más importante que Jesús nos dio? *Amar al prójimo*

SEMANA 4

32 ¿Quién es el camino y la verdad y la vida? *Jesús.*

33 ¿Qué forma tuvo el Espíritu Santo cuando bajó sobre Jesús mientras se bautizaba? *Forma de paloma.*

34 ¿Dónde murió Jesús? *En una cruz.*

35 ¿Quién es el Rey del cielo y de la tierra para siempre? *Jesús.*

36 ¿Con qué nos vestimos para estar siempre firmes? *Con la armadura de Dios.*

37 ¿Quién me cuida para que nunca tenga miedo? *Jesús.*

38 ¿Quién es la luz del mundo? *Jesús.*

Génesis 1

En el principio creó Dios los cielos y la tierra. La tierra estaba desordenada y vacía, y las tinieblas estaban sobre la faz del abismo, y el Espíritu de Dios se movía sobre la faz de las aguas. Y dijo Dios, “sea la luz” y la luz se hizo.

¿Quién formó la tierra e hizo la luz? ***Dios***

¿Cómo te imaginas a Dios?

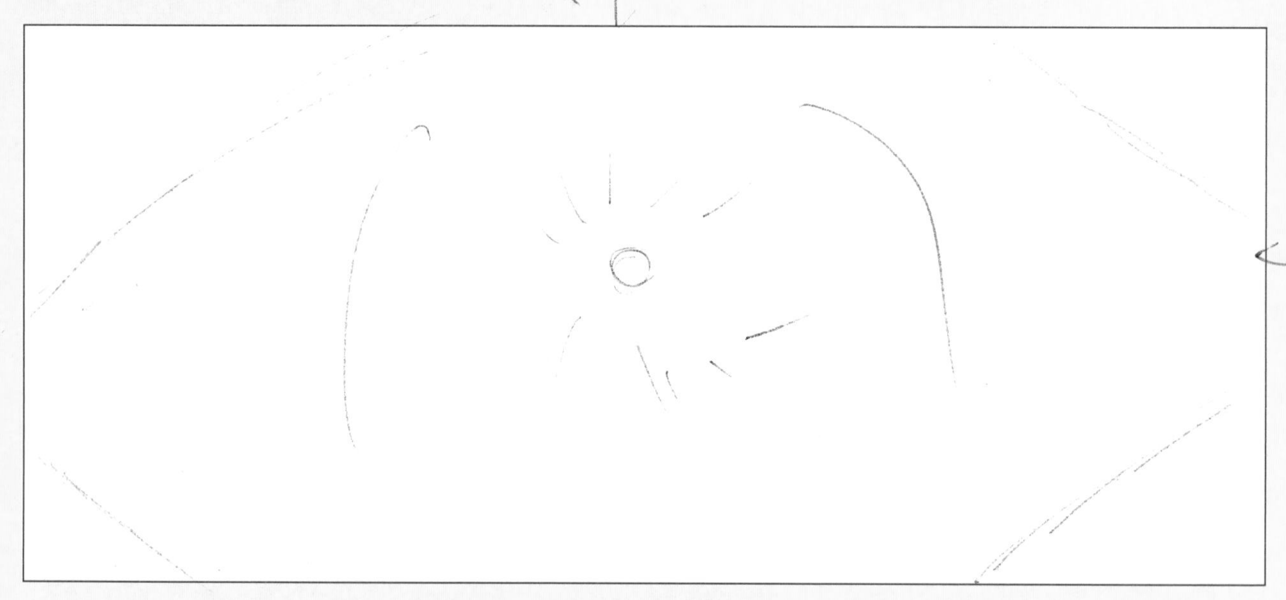

Habla con Dios y exprésale qué es lo que más te gusta de su creación.

Dale gracias a Dios porque hizo la luz y porque Él es la luz.

ORACIÓN

Padre, tú que eres muy grande porque creaste los cielos y la tierra, te doy muchas gracias. Gracias porque puedo ver la luna, el sol, el mar y las estrellas. En tu nombre, Jesús, he orado. **AMÉN.**

Génesis 2

Entonces Dios formó al hombre de la tierra misma. Le sopló en la nariz y le dio vida. Así, el hombre se convirtió en un ser viviente.

¿Quién sopló muy fuerte y creó al hombre? *Dios*

Dile a Dios: "¡Sopla sobre mí tu aliento de vida!"

ORACIÓN

Gracias Dios porque me diste vida.
Gracias porque tengo hermanitos. Gracias por mi papi y mi mami.
Pero sobre todo, gracias porque me cuidarás siempre. **AMÉN.**

Génesis 2

También creó los animales, el sol, la luna y después creó al hombre. Exprésale tu admiración a Dios:

"Oh Dios, ¿cómo pudiste hacernos a todos?
Creaste los animales, ¡eres un genio!,
¡Eres poderoso!, ¡Eres muy fuerte!"

¿Quién creó los cielos y la tierra? *Dios*

Dios creó a todos los animales, con todas sus maravillosas diferencias para que los podamos disfrutar y cuidar.

ORACIÓN

Gracias por todos los animales que creaste,
me hacen feliz.
AMÉN.

Salmos 139:14

¡Te alabo porque soy una creación admirable! ¡Tus obras son maravillosas, y esto lo sé muy bien!

¿Qué reconocimiento le quieres dar a Dios?

Dibuja a Dios y alrededor de Él, dibuja a tu familia; tus papás, tu hermano o hermanos y tus abuelos.

ORACIÓN

Dios, juntos como familia te queremos adorar
y cantar alabanzas.
AMÉN.

1 Pedro 2:4

Acérquense, pues, al Señor, la piedra viva que los hombres desecharon, pero que para Dios es una piedra escogida y de mucho valor.

¿Quién es la roca? *Cristo Jesús*

¿Sabes qué es una roca?

SÍ ☐ **NO** ☑

¿Cómo es una roca?

Yo No Se

____

____

¿Es fuerte?

SÍ ☑ **NO** ☑

¿Es dura?

SÍ ☑ **NO** ☑

¿Puede ser de muchos tamaños?

SÍ ☑ **NO** ☑

La Biblia es el libro de Dios. En él se explica que Jesús es la roca de la salvación.

No debes tener temor porque Él te cuida. Es muy fuerte, valiente y siempre cuida de los niños.

ORACIÓN

Diosito, hazme fuerte como Jesús. Quiero ser tan fuerte y valiente como Él. Me gusta mucho que Él es una roca fuerte y me cuida siempre. **AMÉN.**

Juan 10:7

Yo soy el buen pastor; el buen pastor su vida da por las ovejas.

¿Quién es el buen pastor? ***Jesús***

¿Cómo es una ovejita? Dibújala.

Dios es el Gran Pastor de las ovejas y nosotros los niños somos sus ovejitas. Él nos cuida y nos da alimento para que tengamos fuerzas.

ORACIÓN

Señor, quiero que seas mi pastor
y me guíes en todos mis caminos, así como los pastores
guían a las ovejitas de su rebaño. **AMÉN.**

Éxodo 20:12.

Honra a tu padre y a tu madre, para que vivas una larga vida en la tierra que te da el Señor tu Dios.

¿Quiénes te cuidan además de Jesus? *Papi y Mami*

Papá Dios también cuida de tu papá y de tu mamá. Tómate un momento para orar por ellos y agradecer todo lo que hacen por ti.

ORACIÓN

Dios, cuida de mi papi y de mi mami.
Abrázalos y llena su corazón de tu Amor.

AMÉN.

Copia el dibujo que ves del pastor con sus ovejas en el recuadro de abajo.

Salmos 3.

En la mañana yo te digo hola, te digo buenos días, y en la noche te pediré que cuides mis sueños y dormiré tranquilo porque tú me cuidas.

¿Quién cuida de ti por las noches? ***Dios***

ORACIÓN

Señor, cuida mis sueños. Duermo tranquilo porque tú me acompañas toda la noche.

AMÉN.

Salmos 100.

Canten alegres a Dios todos los que habitan en la tierra.

¿A quién le quieres cantar alabanzas? ***A Dios***

¿Estás alegre? Canta a Dios. Da gracias porque Él es bueno y sus regalos son para siempre.

¿Estás alegre? Inventa una canción nueva a Dios y escríbela:

ORACIÓN

Queremos cantar a ti, Dios y a todos los habitantes de la tierra.
Queremos servirte con alegría y estar en tu presencia con gozo.

AMÉN.

Proverbios 30:24

En todo el mundo, esos cuatro animalitos son más sabios que los sabios a pesar de ser tan pequeños.

¿Cuáles son los animales más pequeños y sabios de la tierra?
La hormiga, el conejo, la langosta y la araña.

Las hormigas no son fuertes, pero almacenan su alimento todo el verano.
Los conejos no son poderosos, pero construyen su hogar entre las rocas.
Las langostas no tienen rey, pero marchan en fila.
Las arañas son fáciles de atrapar, pero se encuentran hasta en los palacios reales.

Coloréalos:

ORACIÓN

Dios, cuida a todos los animalitos.
Cuida a mi perrito, a mis pájaros y a las ardillas
que están en el jardín. **AMÉN.**

Proverbios 31:10

Mi mamá es virtuosa, porque ama y respeta a Dios.

¿Por qué tu mamá tiene un corazón bueno? ***Porque ama a Dios***

Dibuja a tu mamá y pide a Dios que la cuide.

ORACIÓN

Dios, cuida a mi mamá porque ella te ama mucho y obedece tus mandamientos. Ella te alaba y tiene mucho amor por ti.

AMÉN.

Isaías 9.

600 años antes de que naciera Jesús, el Profeta Isaías dijo, “Dios nos ha dado un niño que nos traerá salvación”.

¿Cuál es el nombre del profeta que dijo que Jesús nacería?
Su nombre es Isaías

Colorea al profeta Isaías:

ORACIÓN

Dios, gracias por enviarnos la salvación
a través de un niño.

AMÉN.

Isaías 9.

Los que caminan en oscuridad, verán una gran luz, pues nos ha nacido un niño. Un hijo se nos ha dado y será llamado Consejero, Dios Poderoso, Padre Eterno y Príncipe de Paz. Su gobierno y la paz nunca tendrán fin.

¿Cómo será llamado el niño? *Jesús*

Cuando crezca lo llamarán Consejero porque te da consejos, Dios Poderoso en los cielos y en la tierra, Padre Eterno porque nunca muere y Príncipe de la Paz porque hablar con él nos brinda paz. Su salvación y la paz no tendrán fin.

ORACIÓN

Dios Padre, gracias te doy porque hablaste al profeta Isaías, para anunciarle que un Salvador vendría.

AMÉN.

Mateo 25:35.

Porque cuando tuve hambre, ustedes me dieron de comer; cuando tuve sed, me dieron de beber; cuando tuve que salir de mi país, ustedes me recibieron en su casa.

¿Cómo puedes ayudar al pobre?

1. ***Regalándole ropita***
2. ***Regalándole alimentos***
3. ***Orando por ellos***

ORACIÓN

Dios te pido que ayudes a todas las personas que se encuentran en la calle y que no tienen donde dormir ni comer. Envíales personas buenas que deseen ayudarlos por favor. **AMÉN.**

Dibuja libremente:

Lucas 2:8.

Y el ángel les dijo a los pastores, "no se asusten, les traigo buenas nuevas: el Mesías, el salvador, ha nacido hoy en Belén. Encontrarán a un niño envuelto en telas, acostado en un pesebre."

¿Quién anunció la buena noticia, de que el niño Jesús nacería?
Un Ángel

Pastores cuidaban sus rebaños.

Y apareció un ángel.

ORACIÓN

Señor Jesús, ayúdame a anunciar a los niños que no te conocen, que tú naciste y que viniste al mundo a amarnos y perdonar nuestros pecados. **AMÉN.**

Mateo 2.

Los tres Reyes Magos venían del oriente a Jerusalén y preguntaron, "¿Dónde está el Rey de los Judíos que ha nacido?, porque su estrella hemos visto en el oriente y vinimos a adorarlo." Y al encontrar el pesebre vieron al niño con su madre María y postrados, le adoraron.

¿Quienes vieron la estrella de Belén? ***Los tres Reyes Magos***

Escribe los nombres de los regalos que trajeron los tres Reyes Magos a Jesús:

O _ _   I _ c _ _ n _ _   _ i _ _ a

ORACIÓN

Jesús, quiero entregarte un regalo.
Ese regalo es mi corazón, tómalo, es tuyo.

AMÉN.

Mateo 6.

Jesús creció y nos dejó la oración que su papá le enseñó:

Padre nuestro,
que estás en el cielo,
santificado sea tu Nombre;
venga a nosotros tu reino;
hágase tu voluntad
en la tierra como en el cielo.
Danos hoy nuestro pan de cada día;
perdona nuestras ofensas,
como también nosotros perdonamos
a los que nos ofenden;
no nos dejes caer en la tentación,
y líbranos del mal.
AMÉN

¿Cuál es la oración que nos dejó Dios para aprender?
El Padre Nuestro

Mateo 19:14.

Jesús bendice a los niños. Jesús dijo. “dejad que los niños vengan a mí y no se lo impidan, porque de ellos es el reino de los cielos.”

¿De quién, dice Jesús, es el reino de los cielos? ***De los niños***

ORACIÓN

Jesús, quiero escuchar tu voz cuando me llames.

AMÉN.

Marcos 6:34.

Jesús alimentó a cinco mil personas. Tomó los cinco panes y los dos peces, y levantando los ojos al cielo, bendijo y partió los panes, los dio a sus discípulos y a todos los que estaban ahí.

¿Qué hizo Jesús con cinco panes y dos peces? ***Un gran milagro***

ORACIÓN

Señor, ayúdame a ver tus milagros en mi vida
y en mi familia.

AMÉN.

Marcos 12:30.

Amarás al Señor tu Dios con todo tu corazón y con toda tu alma, y con toda tu mente y con todas tus fuerzas.

¿Cuál es el mandamiento más importante que Jesús nos dio?
Amar a Dios sobre todas las cosas

ORACIÓN

Señor, quiero amarte mucho, mucho, mucho. Deseo darte el primer lugar en mi corazón y así obedecerte. Cuídame y hazme un niño que haga siempre el bien. **AMÉN.**

Mateo 22:31.

Ama al prójimo como a ti mismo.

¿Cuál es el segundo mandamiento más importante que Jesús nos dio? ***Amar al prójimo***

ORACIÓN

Señor, ayúdame a amar a mis amiguitos
y compartir con ellos sin pelear.

AMÉN.

Dibuja a tu mejor amigo/a.

Juan 14:16.

Jesús es el camino al Padre.

¿Quién es el camino a la verdad y la vida? *Jesús*

Lee en la Biblia el libro de Juan, capítulo 14, verso 6 y rellena los campos vacíos:

Yo soy ______________________________

Y la ______________________________

Y la ______________________________

Nadie viene al Padre sino por ______________________________

ORACIÓN

Mi deseo, Dios mío, es que escuches mis oraciones, mis ruegos y mis necesidades, en el nombre de Jesús.

AMÉN.

Mateo 3:13-17.

Cuando Jesús se bautizó, el Espíritu Santo bajó sobre Él en forma de paloma.

¿Qué forma tenía el Espíritu Santo cuando bajó sobre Jesús mientras se bautizaba? ***Forma de paloma.***

Colorea a los niños.

ORACIÓN

Señor, baja sobre mí con tu Espíritu Santo, como una palomita.
Recibo este regalo sobre mi cabecita.

AMÉN.

Juan 19:17.

Y Él cargando su cruz, caminó hacia el Gólgota y ahí le crucificaron.

¿Dónde murió Jesús? ***En una cruz***

ORACIÓN

Diosito, me duele mucho lo que te hicieron;
los clavos que te clavaron y la corona de espinas en tu cabeza.
Pero sé que lo hiciste para salvarme, para perdonarme
y para hacer una casita para mí en los cielos. **AMÉN.**

Mateo 25:31.

Y cuando el Hijo del hombre venga en su gloria, y todos los santos ángeles con él, entonces se sentará sobre el trono de su gloria.

¿Quién es el Rey del cielo y de la tierra para siempre? *Jesús*

Colorea a Jesús como el Rey del cielo.

ORACIÓN

Jesús, te pido que seas el Rey de mi corazón
y el de mi hermosa familia.

AMÉN.

Efesios 6:10.

Fortalézcanse en el Señor y en el poder de su fuerza.

¿Con qué nos vestimos para poder estar firmes?
Con la armadura de Dios

Me visto como un soldadito y me protejo.

Tomen el casco de la salvación.

Protegidos por la coraza de la justicia.

Ceñidos por el cinturón de la verdad.

Tomen el escudo de la fe.

Tomen la espada del espíritu que es la palabra de Dios.

Calzados con la disposición de proclamar el evangelio de la paz.

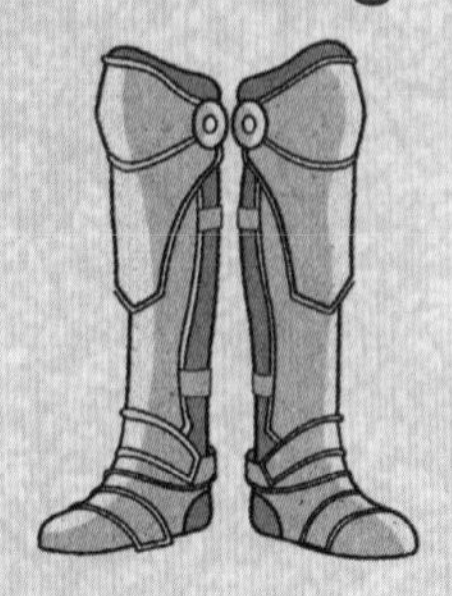

ORACIÓN

Señor, me pongo esta armadura para protegerme de todo mal.
Como un soldadito me visto y así cuido de todo mi cuerpo.

AMÉN.

2da de Timoteo.

Porque no nos ha dado Dios espíritu de cobardía, sino de poder, de amor y de dominio propio.

¿Quién me cuida para que nunca tenga miedo? *Jesús*

No tengo miedo; tengo poder y estoy lleno de amor porque Dios me cuida y me da su fuerza, me ayuda a estudiar y cuida también de mis hermanitos.

ORACIÓN

Señor, gracias por cuidarme.
Yo sé que si tú estás conmigo, todo va a estar bien.
AMÉN.

1 Juan 1:15.

Dios es luz y no hay tinieblas en Él.
Él es puro.
Él es limpio.
Él es bueno.
Él es Santo.
Él es el Buen Pastor.
Él fue a la Cruz para salvar al mundo.
Él es el principio.
Y Él es el final.

¿Quién es la luz del mundo? *Jesús*

ORACIÓN

Dios, trae tu luz para que brille en mí. Me quiero parecer a ti, quiero ser bueno, ayudar a Papi y a Mami, a mis hermanos, a mis amigos y a mis abuelitos. **AMÉN.**

Oración final

Quiero hablar contigo, Diosito, para finalizar
y darte las gracias porque hiciste la luz,
creaste al hombre y a los animales.
Sé que mis piecitos caminan firmes sobre la roca que eres, Jesús.
Tú eres mi Buen Pastor y yo soy tu ovejita.
Sé que me cuidarás siempre:
sin importar si estoy en la playa o en la montaña,
en el parque o en mi casita, en la calle o en el colegio.
Estarás conmigo en todas partes.
Para mí es muy importante cuando fuiste niño,
recuerdo el momento en el que naciste;
el establo, el pasto y a José con tu mamá María.
Me gustó mucho también que los tres Reyes Magos te llevaron regalos.
Yo quiero decirte que también te doy un regalo y es mi corazón.
Tómalo, tómalo, tuyo es.
Todas las noches, voy a orar el Padre Nuestro
que es la mejor oración, porque tú me la enseñaste.
Continúa guiando mis pasitos.
Quiero caminar en tu verdad porque me llenas de vida.
¡Ay!, me acordé que hay una palomita que bajó sobre Jesús cuando se bautizó.
¡Me gustó mucho! Y quiero que baje también sobre mí.
Deseo terminar esta oración diciéndote que te quiero mucho, mucho.
Le dolió a mi corazón que tuviste que morir en una cruz para salvarme
y para construir una casita para mí en el cielo.
Gracias, gracias, gracias. Muchas gracias porque escuchaste mi oración.

AMÉN.

Dedicatorias

De mi mami:

De mis abuelos:

De mis tíos:

De mis primos:

De mi amigo:

De mi maestra:

Hablo con Dios todos los días

Primera edición, 1500 ejemplares

ISBN: 978-607-96510-9-1

Dirección

Condor 290, Col. Los Alpes,

Alcaldía Álvaro Obregón,

Ciudad de México CP 01010

Texto

Silvia Wadskier de Díaz

Ilustración

Diego Martínez

Edición

Leer un Ratón SA de CV

Diseño editorial

Francelia Bahena

Colaboradora

Alixana de Guardia

Impresión

Litográfica e Impresos Toca, SA de CV

Lago Texcoco 29, colonia Anáhuac Guadalajara

Ciudad de México 11320

T. 5342-0800